Peyo

# Smerf dyktator

EGMONT

Pewnego dnia Papa Smerf wyruszył w podróż. Do eksperymentów potrzebne mu były bowiem rośliny, które nie rosły w krainie smerfów.

– Smerfujcie się dobrze podczas mojej nieobecności – powiedział, żegnając się ze wszystkimi. – I nie zapominajcie o nasmerfowywaniu tamy!

– Będziemy o tym pamiętać – obiecały smerfy.

## WAŻNIAK

Bez przerwy wszystkich poucza
i dlatego czasem dostaje po głowie.

## SMERFUŚ

Bocian przyniósł go do wioski
pewnej nocy, gdy księżyc
świecił na niebiesko.

## SMERFETKA

Wszystkie smerfy się w niej kochają.

Tytuł oryginalny serii: *Les Schtroumpfs*

Tytuł oryginału: *Le Schtroumpfissime*



Wydanie pierwsze, Warszawa 2006

Wydawnictwo Egmont Polska Sp. z o.o.

ul. Dzielna 60, 01-029 Warszawa

tel. 0 22 838 41 00

www.egmont.pl/ksiazki

ISBN-10: 83-237-8991-6

ISBN-13: 978-83-237-8991-8

Druk: EDICA SA, Poznań

Wkrótce potem Ważniak postanowił wziąć sprawy w swoje ręce.

– Wszyscy do roboty! Nie lenić się! Kiedy nie ma Papy Smerfa, ja tu rządzę! – komenderował.

Ale wszyscy tylko się z niego śmiali.

Ważniak był wściekły
i długo zastanawiał się,
jak tu zmusić inne smerfy
do posłuszeństwa.

Wreszcie oświadczył Harmoniuszowi, że mianuje go wielkim heroldem Smerfissimusa.

– Czyim? – zapytał zaskoczony Harmoniusz.

– Smerfissimusa, czyli najważniejszego ze wszystkich smerfów. A Smerfissimus to JA!

Na głos bębna zdziwione smerfy zgromadziły się na placu.

– Artykuł pierwszy brzmi: Obowiązkiem wszystkich smerfów jest szanować Smerfissimusa i być mu posłusznym! Każdy, kto się nie podporządkuje, zostanie surowo ukarany! – wykrzykiwał herold Harmoniusz.

– Temu Ważniakowi chyba całkiem przewróciło się w głowie – zdenerwował się Osiłek. – Zaraz dam mu taką smerfną lekcję, że mu w pięty pójdzie!

Lecz Smerfissimus powitał go niezwykle serdecznie.

– Jesteś mi potrzebny, Osiłku – oświadczył. – Mianuję cię wielkim komendantem smerfostraży.

Nowo mianowany komendant zabrał się bardzo poważnie do dzieła. Szybko zorganizował oddział wybranych, którzy słuchali tylko rozkazów Smerfissimusa... no i, oczywiście, wielkiego komendanta.

Dyktator, oszołomiony władzą, wydał kolejny dekret. Cała wioska miała pracować przy wielkiej i ważnej budowie. Czy chodziło o budowę i naprawę tamy?

Ależ skądże! Smerfissimus postanowił zbudować dla siebie rezydencję godną wielkiego wodza. Smerfy próbowały protestować przeciwko zbyt ciężkiej pracy, ale członkowie smerfostraży szybko zrobili porządek z krzykaczami.

Mieszkańcy wioski harowali tak, że wkrótce już
Smerfissimus mógł z wielką pompą wprowadzić się
do swego okazałego pałacu.
I nic sobie nie robił z okrzyków niezadowolenia
i gniewu dochodzących ze strony tłumu
smerfów zebranych wokół jego siedziby.

Aby okazać szacunek dyktatorowi, Zgrywus przyniósł pięknie opakowany prezent... jak zwykle wybuchowy! Lecz władca nie docenił bombowego dowcipu.

– Do więzienia z nim! – rozkazał smerfostraży.

I tak biedny Zgrywus znalazł się w celi ubrany w więzienny pasiak i zakuty w ciężkie łańcuchy.

Oburzone smerfy urządziły demonstrację przed pałacem, ale straż szybko je przepędziła.

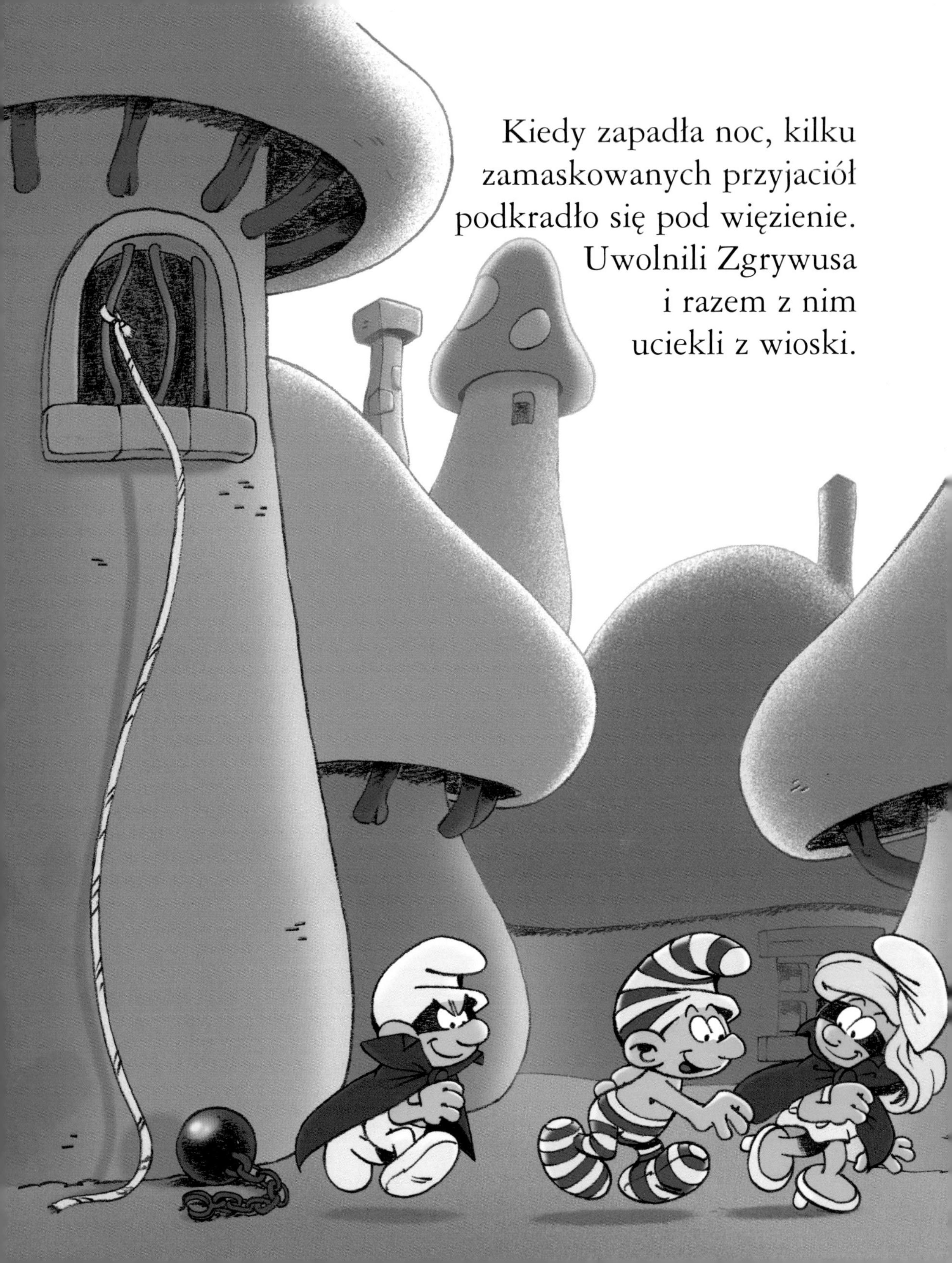

Kiedy zapadła noc, kilku
zamaskowanych przyjaciół
podkradło się pod więzienie.
Uwolnili Zgrywusa
i razem z nim
uciekli z wioski.

Wkrótce w głębi lasu powstała osada smerfów zbuntowanych przeciwko władzy Smerfissimusa. Każdego dnia przybywali nowi buntownicy, bo życie w wiosce smerfów stało się nie do zniesienia.

Dyktator postanowił położyć kres tym ucieczkom. Całą wioskę otoczono na jego rozkaz wysoką palisadą – oficjalnie po to, aby chronić mieszkańców przed wrogami. W rzeczywistości miała uniemożliwić im ucieczkę.

W końcu buntownicy postanowili położyć kres władzy tyrana. Wymaszerowali z lasu i przypuścili atak na wioskę.

– Celujcie dobrze i bądźcie bezlitośni! – nakazał Smerfissimus swoim żołnierzom uzbrojonym w granaty z pomidorów.

Atakujący zrobili otwór
w palisadzie i wdarli się
do wioski. Powstało kosmiczne
bitewne zamieszanie!

– PRZESTAŃCIE! – krzyknął Papa Smerf, który na szczęście w tym momencie wrócił do wioski. Kiedy usłyszał, co się działo, był naprawdę oburzony.

– To nie do pomyślenia! Zachowujecie się okropnie... zupełnie jak ludzie!

Smerfy, zajęte walką z władzą i o władzę, nie naprawiały tamy i w każdej chwili mogła ją przerwać woda. Papa Smerf zdecydował więc, że trzeba otworzyć stawidło. Tak się złożyło, że woda zalała teren, na którym stał wspaniały pałac dyktatora...

– To wszystko moja wina – oświadczył samokrytycznie Ważniak. – Muszę teraz posprzątać cały ten bałagan!

Kiedy usłyszały to inne smerfy, wybaczyły Ważniakowi i postanowiły pomóc mu w porządkach.

W wiosce znów zapanował spokój. Smerfissimus był już tylko wspomnieniem, a z jego stroju zrobiono wspaniałego stracha na wróble.

## MARUDA

Ten smerf jest bez przerwy
z czegoś niezadowolony.

## ŁASUCH

Lepiej nie zostawiać go sam
na sam z czymś smacznym.